U0264627
1551820025

中华人民共和国国家标准

矿山提升井塔设计规范

Code for design of mine winding tower

GB 51184 - 2016

主编部门：中 国 煤 炭 建 设 协 会
批准部门：中华人民共和国住房和城乡建设部
施行日期：2 0 1 7 年 4 月 1 日

中国计划出版社

2016 北 京

中华人民共和国国家标准

矿山提升井塔设计规范

GB 51184-2016

☆

中国计划出版社出版发行

网址：www.jhpress.com

地址：北京市西城区木樨地北里甲11号国宏大厦C座3层

邮政编码：100038　电话：(010) 63906433（发行部）

北京市科星印刷有限责任公司印刷

850mm×1168mm　1/32　2.25印张　53千字

2017年3月第1版　2017年3月第1次印刷

☆

统一书号：155182·0025

定价：14.00元

中华人民共和国住房和城乡建设部公告

第 1268 号

住房城乡建设部关于发布国家标准《矿山提升井塔设计规范》的公告

现批准《矿山提升井塔设计规范》为国家标准，编号为 GB 51184—2016，自 2017 年 4 月 1 日起实施。其中，第 1.0.4、8.1.4、8.1.5、8.2.8 条为强制性条文，必须严格执行。

本规范由我部标准定额研究所组织中国计划出版社出版发行。

中华人民共和国住房和城乡建设部

2016 年 8 月 18 日

前　言

本规范是根据住房城乡建设部关于印发《2013年工程建设标准规范制订、修订计划的通知》(建标〔2013〕6号)的要求,由煤炭工业合肥设计研究院会同有关单位共同编制完成。

本规范在编制过程中,编制组进行了广泛的调查,吸收了多年来的工程设计及实践经验,并在全国范围内广泛征求了设计、勘察、科研、教学等单位和专家、学者的意见,经多次讨论、修改和完善,最后经审查定稿。

本规范共分8章和1个附录,主要内容包括:总则、术语和符号、布置与选型、结构荷载、结构计算、构造、地基与基础、抗震设计等。

本规范中以黑体字标志的条文为强制性条文,必须严格执行。

本规范由住房城乡建设部负责管理和对强制性条文的解释,中国煤炭建设协会负责日常管理工作,煤炭工业合肥设计研究院负责具体技术内容的解释。本规范在执行过程中,请各单位注意总结经验,积累资料,随时将有关意见或建议反馈给煤炭工业合肥设计研究院《矿山提升井塔设计规范》编制组(地址:安徽省合肥市阜阳北路355号,邮政编码:230041;传真:0551－65534874;E-mail:xionghui3000@163.com),以供今后修订时参考。

本规范主编单位、参编单位、主要起草人和主要审查人:

主编单位:中国煤炭建设协会勘察设计委员会
煤炭工业合肥设计研究院

参编单位:中煤邯郸设计工程有限责任公司
中煤科工集团沈阳设计研究院有限公司
北京三磊建筑设计有限公司

中冶京诚(秦皇岛)工程技术有限公司
中国瑞林工程技术有限公司

主要起草人: 朱晓辉　闫红新　王　勇　周家英　黄通才
付文好　柯文改　熊　辉　宋中扬　侯国文
邵一谋　任爱国　路中科　杨如曾　关家祥
魏利金　朱颂华　李大浪　牟　洪　张明振

主要审查人: 王志杰　张长安　李　丁　董继斌　孙　祥
刘红叶

目　次

Contents

1 总　　则

1.0.1 为规范矿山提升井塔设计，做到安全适用、技术先进、经济合理、确保质量，制定本规范。

1.0.2 本规范适用于新建、改建、扩建矿山钢筋混凝土结构提升井塔、钢结构提升井塔的设计。

1.0.3 新建井塔结构设计使用年限应与矿井生产服务年限相适应。

1.0.4 **井塔结构安全等级应为一级。**

1.0.5 井塔抗震设防类别应为重点设防类。

1.0.6 井塔的生产类别应与提升物料种类相适应，井塔耐火等级不应低于二级。

1.0.7 井塔设计应与施工、生产工艺紧密结合，选择合理的结构方案。

1.0.8 矿山提升井塔设计除应符合本规范外，尚应符合国家现行有关标准的规定。

2 术语与符号

2.1 术　　语

2.1.1 摩擦轮　friction winder

设置在井塔大厅层，用于悬挂钢丝绳，由摩擦传动提升重物的滚轮。

2.1.2 防撞梁　bumper beams

提升容器过卷后防止冲撞井塔结构的构件。

2.2 符　　号

2.2.1 荷载、荷载效应及系数：

A_k ——偶然荷载标准值；

C ——结构或构件达到正常使用要求的规定限值；

G_k ——永久荷载标准值；

Q_k ——可变荷载标准值；

R_d ——结构构件抗力的设计值；

S_d ——荷载效应组合设计值；

S_{A1k}、S_{A2k} ——第 1 个、第 2 个偶然荷载效应标准值；

S_{Gk} ——永久荷载效应标准值；

S_{Qk} ——可变荷载效应标准值；

S_{Wk} ——风荷载效应标准值；

S_{max} ——提升钢丝绳的最大静张力；

T ——摩擦轮一侧钢丝绳断绳荷载；

γ_0 ——结构重要性系数；

γ_G ——永久荷载的分项系数；

γ_Q ——可变荷载的分项系数；

γ_{EH}、γ_{EV} ——水平、地震作用分项系数；

γ_{w} ——风荷载的分项系数；

ψ_{C} ——可变荷载的组合值系数；

ψ_{Q} ——可变荷载的准永久系数。

2.2.2 几何参数：

H_1 ——摩擦轮中心高度；

H_2 ——提升机大厅的高度；

R_1 ——摩擦轮半径；

R_2 ——导向轮半径；

θ ——钢丝绳与铅垂线之间的夹角。

2.2.3 其他：

a ——提升加速度；

g ——重力加速度；

f ——运行阻力系数。

3 布置与选型

3.1 平面布置

3.1.1 井塔平面布置应包括下列主要内容：

1 提升机大厅平面布置；

2 导向轮层平面布置；

3 底层平面布置。

3.1.2 提升机大厅平面布置应符合下列要求：

1 提升机、电动机等设备运转部分与墙面的距离不应小于1.5m；提升机、电动机端部与墙面的距离应由工艺专业确定；

2 提升机、电动机等设备固定部分与墙面的距离不应小于1.2m；

3 应设置电动桥式吊车；

4 操控室宜布置在大厅层，操控室应封闭、隔音；

5 设备安装检修场地应布置在主要设备附近。

3.1.3 导向轮层宜设于提升机大厅的下一层。

3.1.4 底层平面布置应符合下列要求：

1 箕斗不宜存放在井塔内；

2 信号室应布置在进车侧，空气加热室应留出风道口；

3 井口周围应设安全栏杆，且高度不应小于1.2m；

4 主井受料仓及矿物运输出口位置应由工艺专业确定。

3.1.5 井塔内应设一个疏散楼梯，楼梯间可不封闭；可采用宽度不小于800mm，且坡度不大于60°的金属工作梯兼作疏散楼梯。

3.1.6 井塔内宜设客货两用电梯，其载重量不宜小于1000kg；电梯宜布置在塔内。

3.1.7 吊装孔净尺寸不应小于起吊最大件设备外形尺寸每侧加100mm；吊装孔的布置应符合下列要求：

1 塔内吊装时，吊装孔宜设置在各层同一位置，且不宜设置在井塔角部；吊装孔应设盖板或活动栏杆；

2 塔外吊装时，吊装孔宜设置在井塔悬挑结构的楼板上，并应设盖板，在寒冷地区盖板应加铺保温层；

3 侧墙吊装时，吊装孔宜设置在井塔壁板上；吊装孔应安装保温及气密性能好的内开大门，且应在大门外侧加设活动栏杆。

3.2 竖向布置

3.2.1 摩擦轮中心高度 H_1（图3.2.1）应按下式计算：

$$H_1 = h_1 + h_2 + h_3 + h_4 + h_5 \tag{3.2.1}$$

式中：h_1——罐笼提升时，为井口至出车轨面的高度；箕斗提升时，为井口至箕斗卸载闸门卸载口的高度，应由工艺专业确定；

h_2——罐笼出车轨面或箕斗卸载闸门卸载口至其本体上框梁顶面的高度；

h_3——提升容器在正常卸载位置时，容器上框梁顶面至防撞梁底面的高度，应由工艺专业确定；

h_4——防撞梁底面至导向轮中心的高度，应由工艺专业确定；

h_5——导向轮中心至摩擦轮中心的高度，应由工艺专业确定；

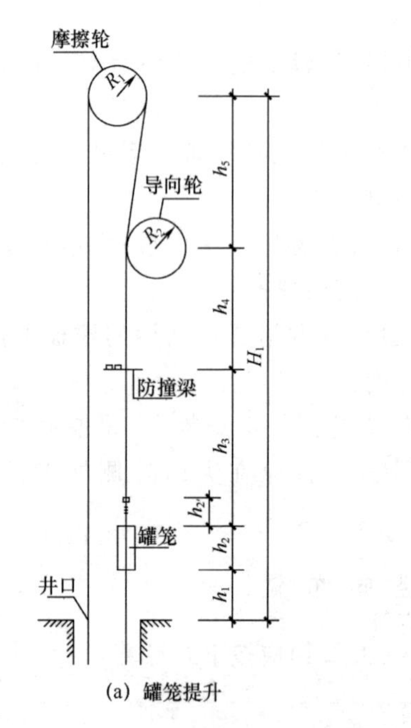

(a) 罐笼提升

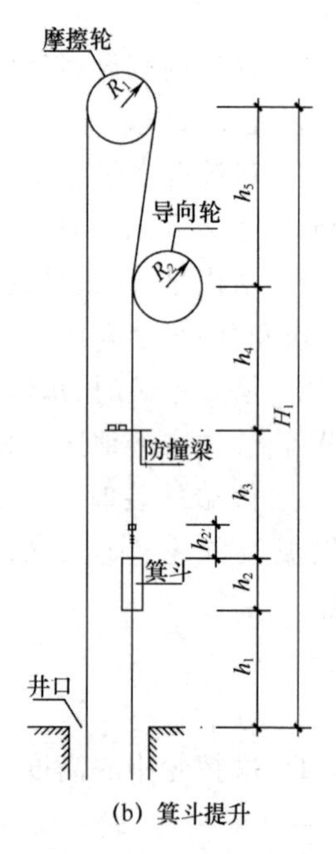

(b) 箕斗提升

图 3.2.1 摩擦轮中心高度

$h_{2'}$ ——提升容器本体上框梁顶面至悬挂装置绳卡上缘的高度，应由工艺专业确定；

R_1 ——摩擦轮半径；R_2 ——导向轮半径。

3.2.2 提升机大厅高度 H_2（图 3.2.2）的确定，应符合下列要求：

1 提升机大厅高度应按下式计算：

$$H_2 = d_1 + d_2 + d_3 + d_4 + d_5 + d_6 \qquad (3.2.2)$$

式中：d_1 ——提升机基础台的高度；

d_2 ——吊车起吊高度，可取 200mm～500mm；

d_3 ——提升机摩擦轮闸盘直径，应由工艺专业确定；

d_4 ——吊车取物装置计算高度，应由工艺专业确定；

d_5 ——吊车要求高度；

d_6 ——吊车顶面与屋面构件底面间的净空，可取 400mm。

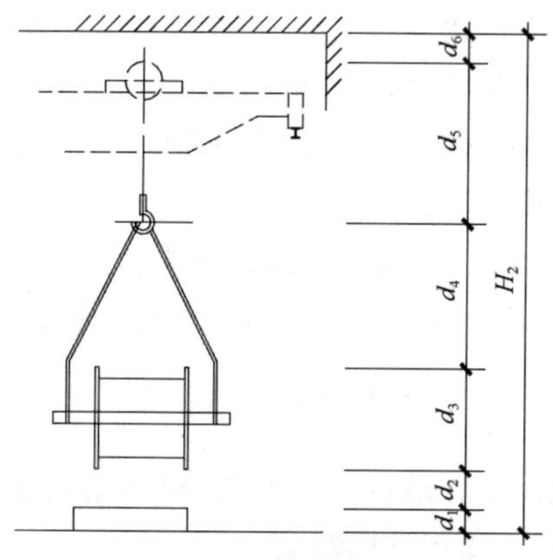

图 3.2.2　提升机大厅高度

2　电梯间、楼梯间位于吊车行走范围时，吊车最下凸出部分与电梯间、楼梯间最高点之间净距不应小于 200mm。

3.2.3　导向轮层高度的确定应符合下列要求：

1　导向轮顶点至安装起吊梁底的高度不宜小于 1.5m；

2　钢丝绳罐道悬挂装置设于导向轮层时，导向轮层层高应满足钢丝绳罐道悬挂装置安装、检修和更换要求。

3.2.4　井塔底层高度应满足安装和更换提升容器要求。

3.2.5　其他无特殊要求的中间各楼层层高宜相近。

3.3　建筑构造

3.3.1　井塔底层大门可根据实际情况分段设置。

3.3.2　窗户不应向外开启；提升机大厅层应设置纱窗，高窗宜设置开窗设施；室内应有良好的采光，开窗不应产生面对操控人员的眩光。

3.3.3　提升机大厅内粉刷应采用易清洁的面层，地面宜选用不易起尘的材料。

3.3.4　井塔底层宜设置冲洗水系统。

3.3.5　井塔内应设置卫生间、污水池，卫生间宜设在提升机大厅层。

3.3.6 提升机大厅层应设置上屋面的室内爬梯，并留屋面上人孔；屋面应设置女儿墙，高度不应小于1.2m。

3.3.7 井塔内各楼层孔洞周围均应设高度不小于100mm的挡水台。

3.3.8 井塔应设防雷装置。

3.3.9 井塔高度在45m以上时，应设置航空障碍灯。

3.3.10 楼面易溅落油类的部位宜采取防油措施。

3.4 结构选型

3.4.1 钢筋混凝土井塔可采用框架、筒体结构体系；钢结构井塔可采用框架、框架-支撑结构体系。

3.4.2 结构布置应符合下列要求：

1 平面宜简单，柱网宜对称，体型宜规则、均匀，平面宜减少扭转的影响；

2 井塔平面两个方向尺寸均大于15m时，宜设中柱；

3 结构刚度较大方向宜与提升机主轴方向垂直；

4 钢筋混凝土筒体井塔在壁板上开设的窗洞口宜均匀对称，并应上下对齐、成列布置；

5 滑模施工时，各楼层的主次梁宜布置在同一竖向平面内，梁宽宜相等。

3.5 套架与防撞梁布置

3.5.1 井塔应设置防止提升容器或平衡锤过卷的防撞梁，其设计应符合下列要求：

1 防撞梁应设置在提升容器或平衡锤过卷高度限值以上的位置，防撞梁底部的防撞木底标高不应低于过卷高度终止标高；

2 防撞梁底至导向轮层间的净高应由工艺专业确定；

3 防撞梁底部应设防撞木，其厚度不应小于200mm。

3.5.2 支撑罐道和卸载系统的套架可采用分段式或整体式，并应符合下列要求：

1 套架宜采用钢结构;整体式套架底梁应支承在井颈上或悬挂于井塔某一层楼盖结构上;分段式套架应利用井塔楼层梁作立柱支点,并宜将楼层梁兼作套架横梁;

2 整体式套架与井塔间应计入不均匀沉降的影响;

3 套架下部进出提升容器侧的横梁应设计成可拆卸式构件。

3.5.3 罐道、楔形罐道、四角罐道、卸载曲轨、缓冲装置、防坠器和安全门均应固定在套架上。

3.5.4 外动力开闭器可固定在套架上。

3.6 兼作凿井用井塔

3.6.1 布置凿井设备时,宜使井塔受力对称,各楼层荷载宜均匀,应利用井塔门窗洞作为临时出绳孔或溜槽孔。

3.6.2 井塔楼层梁支承临时天轮时,可采取临时加固措施。

3.6.3 凿井时,卸料和排料设施不应损坏井塔构件,并应采取临时防护措施。

3.6.4 井筒采用冻结法施工,遇有深厚软弱表土层时,不宜兼作凿井用井塔。

4 结构荷载

4.1 荷载分类

4.1.1 井塔结构荷载可分为下列类型：

1 永久荷载，包括结构自重、其他构件及固定设备施加在井塔上的作用力、预应力、土压力等；

2 可变荷载，包括提升工作荷载、钢丝绳罐道工作荷载、防坠钢丝绳工作荷载、楼(屋)面活荷载、雪荷载、风荷载、吊车荷载、设备检修荷载、温度作用等；

3 偶然荷载，包括断绳荷载、防坠器制动荷载、过卷荷载、托罐荷载等；

4 地震作用。

4.1.2 结构设计时，对不同荷载应采用不同的代表值。永久荷载应采用标准值作为代表值。可变荷载应根据设计要求采用标准值、组合值、频遇值或准永久值作为代表值。事故状态下偶然荷载标准值应由工艺专业确定。

4.1.3 永久荷载标准值(G_k)的选取，应符合下列要求：

1 结构自重标准值(G_{1k})可由计算确定；

2 设备自重标准值(G_{2k})应由工艺专业确定。

4.1.4 井塔楼面均布活荷载标准值及其组合值、频遇值和准永久值系数，应符合表 4.1.4 的规定。

表 4.1.4 楼面均布活荷载标准值及其组合值、频遇值和准永久值系数

<table>
<tr><th colspan="3">楼层名称</th><th>标准值
(kN/m²)</th><th>组合值
系数</th><th>频遇值
系数</th><th>准永久
值系数</th><th>适用条件</th></tr>
<tr><td rowspan="6">多绳摩擦式提升机井塔</td><td rowspan="4">提升机
大厅</td><td>提升机直径
≤2.25m</td><td>10.0</td><td>1.00</td><td>0.95</td><td>0.85</td><td rowspan="4">提升机安装检修区的平均值，当有2台及以上时，按较大的一台取值</td></tr>
<tr><td>提升机直径
2.8m、3.25m</td><td>15.0</td><td>1.00</td><td>0.95</td><td>0.85</td></tr>
<tr><td>提升机直径
3.5m、4.0m</td><td>20.0</td><td>1.00</td><td>0.95</td><td>0.85</td></tr>
<tr><td>提升机
直径>4.0m</td><td>25.0～30.0</td><td>1.00</td><td>0.95</td><td>0.85</td></tr>
<tr><td colspan="2">导向轮及有设备的楼层</td><td>6.0</td><td>0.90</td><td>0.90</td><td>0.80</td><td>有较重设备或部件时</td></tr>
<tr><td colspan="2">其他楼层</td><td>4.0</td><td>0.70</td><td>0.70</td><td>0.60</td><td>—</td></tr>
<tr><td colspan="3">井口楼层及地面</td><td>10.0</td><td>1.00</td><td>0.95</td><td>0.85</td><td>—</td></tr>
</table>

注：1 按偶然荷载计算提升机的支撑梁时，对无设备区域楼面活荷载可取 2.0kN/m²；

2 在楼面设置临时起重设施时，应按施工临时荷载进行验算；

3 计算板和次梁时活荷载不折减，计算主梁时（大厅层的摩擦轮、减速器和电动机支承梁除外）均可乘以 0.5～0.6 折减系数；

4 本表所列各项活荷载适用于一般条件，当使用荷载较大或情况特殊时，应按实际情况采用。

4.1.5 屋面活荷载宜按上人屋面取值，屋面均布活荷载标准值及其组合值、频遇值和准永久值系数，应符合表 4.1.5 的规定。

表 4.1.5 屋面均布活荷载标准值及其组合值、频遇值和准永久值系数

类　别	标准值(kN/m²)	组合值系数	频遇值系数	准永久值系数
不上人屋面	0.5	0.7	0.5	0
上人屋面	2.0	0.7	0.5	0.4

注：不上人屋面，当施工或维修荷载较大时，应按实际情况采用。

4.1.6 可变荷载及偶然荷载标准值（Q_k 、A_k ）的选取，应符合下

列要求：

1 摩擦轮作用于楼面支承梁上，荷载标准值可按下列公式计算：

1）正常工作时摩擦轮荷载标准值（Q_{1k}）：

罐笼提升时：

$$Q_{1k}=2S_{max} \tag{4.1.6-1}$$

箕斗提升时：

$$Q_{1k}=2S_{max}+q\left(\frac{a}{g}+f-1\right) \tag{4.1.6-2}$$

式中：S_{max}——提升钢丝绳最大静张力，由工艺专业确定；

q——提升容器的载重，由工艺专业确定；

a——提升加速度；

g——重力加速度；

f——运行阻力系数，$f=0.1$。

2）事故时摩擦轮荷载标准值（A_{1k}）：

$$A_{1k}=1.33T \tag{4.1.6-3}$$

式中：T——摩擦轮一侧钢丝绳断绳荷载，应由工艺专业确定。

2 摩擦轮正常工作及事故时制动器荷载标准值（Q_{2k}、A_{2k}）应由工艺专业确定；

3 减速器作用于楼面支承梁荷载标准值（图 4.1.6-1）可按下列公式计算：

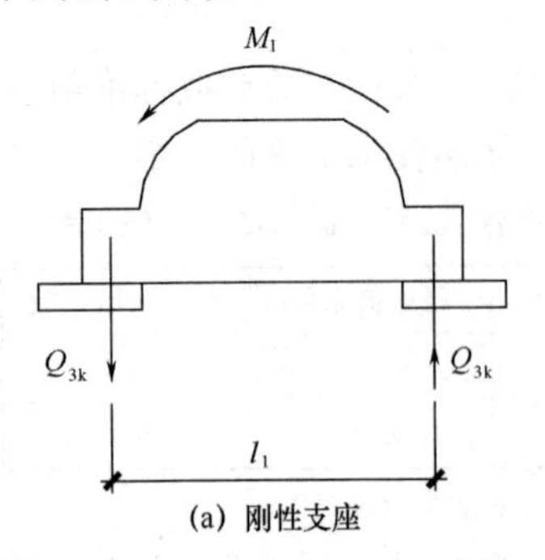

(a) 刚性支座

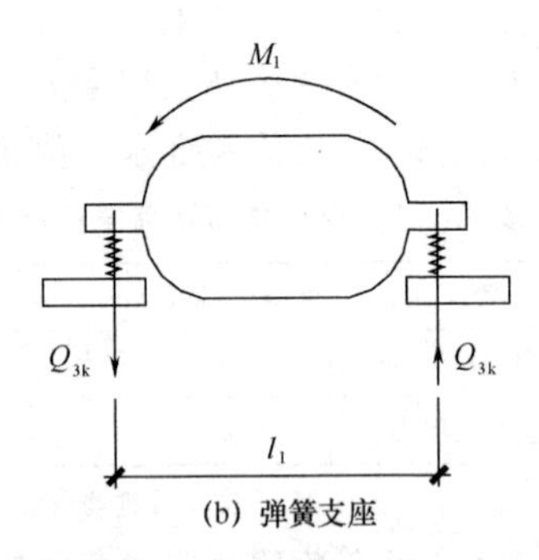

(b) 弹簧支座

图 4.1.6-1　减速器示意

1）正常工作时减速器荷载标准值（Q_{3k}）：

$$Q_{3k}=\pm\frac{M_1}{l_1} \tag{4.1.6-4}$$

式中：l_1 ——减速器支座间的距离；

M_1 ——减速器的额定扭矩，应由工艺专业确定。

2）事故时减速器荷载标准值（A_{3k}）：

$$A_{3k}=\pm\frac{M_{max}}{l_1} \tag{4.1.6-5}$$

式中：M_{max} ——减速器的事故扭矩，应由工艺专业确定。

4 电动机作用于楼面支承梁上荷载标准值（图 4.1.6-2），可按下列公式计算：

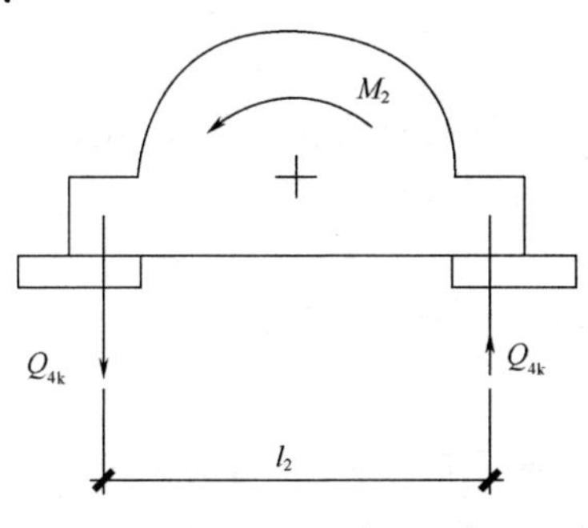

图 4.1.6-2 电动机示意

1）正常工作时电动机荷载标准值（Q_{4k}）：

$$Q_{4k}=\pm\frac{M_2}{l_2} \tag{4.1.6-6}$$

式中：l_2 ——电动机支座间的距离；

M_2 ——电动机额定扭矩，应由工艺专业确定。

2）事故时电动机荷载标准值（A_{4k}）：

$$A_{4k}=\pm\frac{2.5M_2}{l_2} \tag{4.1.6-7}$$

式中：2.5——动力系数。

5 导向轮作用于楼面支承梁上荷载标准值(图 4.1.6-3)可按下列公式计算:

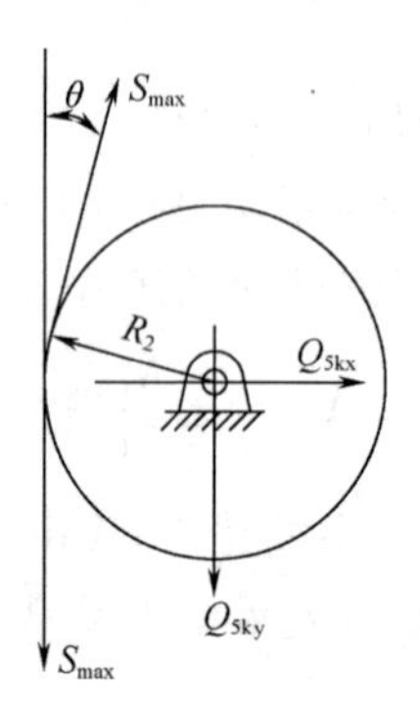

图 4.1.6-3 导向轮示意

1)正常工作时导向轮荷载标准值(Q_{5k}):

$$Q_{5kx} = S_{max}\sin\theta \tag{4.1.6-8}$$

$$Q_{5ky} = S_{max}(1-\cos\theta) \tag{4.1.6-9}$$

式中:Q_{5kx} ——正常工作时水平荷载标准值,作用于导向轮轴承中心;

Q_{5ky} ——正常工作时竖向荷载标准值,作用于导向轮轴承中心;

θ ——钢丝绳与铅垂线之间的夹角。

2)事故时导向轮荷载标准值(A_{5k}):

$$A_{5kx} = T\sin\theta \tag{4.1.6-10}$$

$$A_{5ky} = T(1-\cos\theta) \tag{4.1.6-11}$$

式中:A_{5kx} ——事故时水平荷载标准值,作用于导向轮轴承中心;

A_{5ky} ——事故时竖向荷载标准值,作用于导向轮轴承中心。

6 防撞梁荷载标准值(A_{6k})可按下式计算:

$$A_{6k} = 4.0S_{max} \tag{4.1.6-12}$$

式中:4.0——动力系数。

4.1.7 钢丝绳罐道作用于支承梁的荷载,应按钢丝绳罐道悬挂装置的最大吊挂力作为永久荷载计算。最大吊挂力应由工艺确定。

4.1.8 提升容器套架、罐道、防坠器及托罐装置与井塔连接时，工作荷载及事故荷载应根据工艺要求确定。

4.1.9 有两台提升机事故组合时，一台应为断绳荷载，另一台应为正常工作荷载。

4.2 荷载组合

4.2.1 井塔荷载组合应根据使用过程中在结构上可能同时出现的荷载，按承载能力极限状态和正常使用极限状态分别进行荷载组合，并应取各自的最不利的组合进行设计。

4.2.2 对于承载能力极限状态，应按荷载效应基本组合或事故组合计算荷载组合的效应设计值，并应采用下列设计表达式进行设计：

1 基本组合：

$$\gamma_0 S_d \leqslant R_d \tag{4.2.2-1}$$

2 事故组合（断绳、防坠制动荷载组合）：

$$S_d \leqslant R_d \tag{4.2.2-2}$$

式中：γ_0 ——结构重要性系数，不应小于 1.1；

S_d ——荷载组合的效应设计值；

R_d ——结构构件抗力的设计值。

3 地震作用组合：

$$S_d \leqslant R_d/\gamma_{RE} \tag{4.2.2-3}$$

式中：γ_{RE} ——承载力抗震调整系数，$\gamma_{RE}=0.85$ 。

4.2.3 正常提升工作荷载效应的基本组合，荷载效应组合设计值 S_d 应按下式计算：

$$S_d=\gamma_G S_{Gk}+\gamma_{Q1} S_{Q1k}+\sum_{i=2}^{n}\gamma_{Qi}\psi_{Ci}S_{Qik}+\gamma_W S_{Wk} \tag{4.2.3}$$

式中：γ_G ——永久荷载的分项系数；

γ_{Qi} ——第 i 个可变荷载的分项系数，其中 γ_{Q1} 为主导可变荷载 Q_1 的分项系数；

γ_W ——风荷载的分项系数；

S_{Gk} ——按永久荷载标准值 G_k 计算的荷载效应标准值；

S_{Qik} ——按第 i 个可变荷载标准值 Q_{ik} 计算的荷载效应标准值，其中 S_{Q1k} 为诸可变荷载效应中起控制作用者；

S_{Wk} ——按风荷载标准值计算的效应标准值；

ψ_{Ci} ——第 i 个可变荷载 Q_i 的组合值系数；

n ——参与组合的可变荷载数。

4.2.4 对于事故荷载效应组合，荷载效应组合的设计值 S_d 应按下式计算，荷载效应组合的准永久值系数可按表 4.2.4 选取：

$$S_d = S_{Gk} + S_{A1k}(S_{A2k}) + \sum_{i=1}^{n} \psi_{Q_i} S_{Qik} \quad (4.2.4)$$

式中：S_{A1k} ——断绳荷载标准值 A_{1k} 计算的荷载效应标准值；

S_{A2k} ——防坠制动荷载标准值 A_{2k} 计算的荷载效应标准值；

ψ_{Q_i} ——第 i 个可变荷载 Q_i 的准永久值系数。

表 4.2.4 事故荷载效应组合的准永久值系数

荷载种类 / 组合情况	楼面活荷载	屋面活荷载（雪荷载）	受料仓满仓料重	钢丝绳罐道荷载	风荷载
事故荷载	0.6	0.6	0.6	1.0	0.2

注：事故荷载效应组合时，对无设备区域楼面活荷载可取 2.0kN/m^2。

4.2.5 地震作用效应控制组合，荷载效应组合的设计值 S_d 可按下式计算：

$$S_d = \gamma_G S_{GE} + \gamma_{EH} S_{EHk} + \gamma_{EV} S_{EVk} + \psi_W \gamma_W S_{Wk} \quad (4.2.5)$$

式中：γ_G ——永久荷载的分项系数，应取 1.2；当永久荷载效应对结构承载能力有利时，不应大于 1.0；当验算结构抗倾覆或滑移时，不应小于 0.9；

γ_{EH}、γ_{EV} ——分别为水平、竖向地震作用分项系数，应按本规范

表 4.2.7 采用；

S_{GE} ——重力荷载代表值的效应；

S_{EHk} ——水平地震作用标准值的效应值；

S_{EVk} ——竖向地震作用标准值的效应值；

ψ_W ——风荷载组合值系数，应取 0.2。

4.2.6 承载能力极限状态荷载效应组合分项系数和组合值系数应符合表 4.2.6 的规定。

表 4.2.6 荷载效应组合分项系数和组合值系数

荷载种类 组合情况	永久荷载	楼面活荷载	屋面活荷载（雪荷载）	受料仓满仓料重	提升工作荷载	钢丝绳罐道荷载	风荷载
工作荷载	1.2	1.3	1.4	1.4	1.3	1.2	—
工作荷载及风荷载	1.2	[0.5] 1.2	[0.5] 1.2	1.2	1.2	1.2	1.4

注：1 永久荷载中包括结构自重及大型设备自重；

2 表中屋面活荷载（雪荷载）应按屋面活荷载与雪荷载的较大值取用；

3 方括号中所注数字为组合值系数，未注明者组合值系数可取 1.0；

4 当竖向荷载效应对结构有利时，相应分项系数可取 1.0。

4.2.7 承载能力极限状态地震作用效应组合分项系数和组合值系数，应符合表 4.2.7 的规定。

表 4.2.7 地震作用效应组合分项系数和组合值系数

荷载种类 组合情况	永久荷载	提升工作荷载	钢丝绳罐道荷载	水平地震作用	竖向地震作用	风荷载	备注
水平地震作用组合	1.2	1.3	1.0	1.3	—	—	—
竖向地震作用组合	1.2	1.3	1.0	—	1.3	—	用于 9 度设防及 8 度设防的长悬臂结构

续表 4.2.7

组合情况 \ 荷载种类	永久荷载	提升工作荷载	钢丝绳罐道荷载	水平地震作用	竖向地震作用	风荷载	备注
水平及竖向地震作用组合	1.2	1.3	1.0	1.3	0.5	—	用于9度设防
水平地震作用及风荷载组合	1.2	1.3	1.0	1.3	—	[0.2] 1.4	用于井塔高度60m以上
水平地震、竖向地震作用及风荷载组合	1.2	1.3	1.0	1.3	0.5	[0.2] 1.4	用于9度设防且井塔高度60m以上

注:1 方括号中所注数字为组合值系数;

2 当竖向荷载效应对结构有利时,相应分项系数可取1.0。

4.2.8 对于正常使用极限状态,应根据设计要求采用荷载标准组合和准永久组合计算,其变形、裂缝计算值,不应超过相应的规定限值,并可采用下列设计表达式:

$$S_d \leqslant C \tag{4.2.8}$$

式中:C——结构或结构构件达到正常使用要求的规定限值,应按各有关建筑结构设计标准执行。

4.2.9 对于标准组合和准永久组合,荷载效应组合设计值 S_d 可分别按下列公式计算:

$$S_d = S_{Gk} + S_{Q1k} + \sum_{i=2}^{n} \psi_{Ci} S_{Qik} + \psi_W S_{Wk} \tag{4.2.9-1}$$

$$S_d = S_{Gk} + \sum_{i=1}^{n} \psi_{Qi} S_{Qik} \tag{4.2.9-2}$$

式中:ψ_{Qi}——第 i 个可变荷载 Q_i 的准永久系数。

4.2.10 正常使用极限状态荷载效应组合值系数和准永久值系数,应按表4.2.10中的数值选取。

表 4.2.10 荷载效应组合的组合值系数和准永久值系数

荷载种类 组合情况	永久荷载	楼面活荷载	屋面活荷载（雪荷载）	受料仓满仓料重	提升工作荷载	钢丝绳罐道荷载	风荷载	备注
工作荷载	1.0	1.0	1.0	1.0	1.0	1.0	—	—
工作荷载及风荷载	1.0	[0.5] 1.0	[0.5] 1.0	1.0	1.0	1.0	0.2	—

注：方括号中所注数字为准永久值系数。

4.2.11 施工安装荷载、罐道梁工作荷载的分项系数均可取1.3。

4.2.12 防撞梁荷载、缓冲装置荷载和托罐荷载的分项系数均可取1.0。

5 结 构 计 算

5.1 静 力 计 算

5.1.1 井塔结构内力和位移计算时，结构分析模型、简化处理及计算假定，应符合结构实际工作情况。

5.1.2 井塔结构荷载效应计算应采用空间分析方法；对高度大于100m的井塔，结构宜采用至少2个不同力学模型的结构分析软件进行整体计算。

5.1.3 井塔应进行结构倾覆和滑移验算。

5.1.4 井塔结构构件应根据承载能力极限状态及正常使用极限状态的要求，分别进行下列计算和验算：

1 结构构件应进行承载力及稳定计算；

2 驱动提升机的减速器和电动机支撑梁应进行疲劳验算；

3 使用时需要控制变形值的结构构件应进行变形验算；

4 钢筋混凝土构件应进行裂缝宽度验算。

5.1.5 兼作凿井用井塔应进行凿井工作阶段的承载能力极限状态和正常使用极限状态计算。

5.1.6 工作荷载或凿井工作荷载效应标准组合下，井塔各楼层最大的层间位移与层高之比不应大于1/800。

5.1.7 对结构分析软件的计算结果，应进行分析判断，并应确认其合理有效后，再用于工程设计。

5.2 动 力 计 算

5.2.1 井塔结构的水平振动宜采用空间结构分析程序进行计算。钢筋混凝土井塔第一自振周期可按本规范附录A计算。

5.2.2 梁的竖向振动及结构的水平振动，计算时可不计及竖向振动和水平振动之间的相互影响。

5.2.3 旋转运动设备在运动过程中产生的动扰力,应由工艺专业确定。

6 构　　造

6.1 一般构造

6.1.1 混凝土强度等级不应低于C30,最大水胶比应为0.50。

6.1.2 壁板厚度不应小于200mm;当各层壁板厚度不相等时,相邻层壁板厚度差不宜超过较小壁板厚度的1/3。

6.1.3 矩形平面井塔壁板的四角连接处,在内侧应设置宽度不小于壁板厚度且不小于250mm的腋角,也可设置角柱。

6.1.4 混凝土框架柱纵钢筋每侧的配筋率不应小于0.3%。

6.1.5 提升机大厅层现浇楼板厚度宜为板短向跨度的1/15,且不应小于150m,楼板应双向双层配筋;其他楼层楼板厚度不应小于120mm。

6.1.6 钢筋混凝土井塔屋面承重结构采用钢结构时,宜设置钢-混凝土组合或非组合屋面板。钢檩条上翼缘表面应设置抗剪件,混凝土屋面板应与周边井塔壁板或梁整体浇筑。

6.1.7 钢井塔宜采用钢-混凝土组合楼板或非组合楼板,钢梁上翼缘表面应设置抗剪件;楼板应增设水平支撑。

6.1.8 采用滑模施工时,滑模通过的梁内不宜设置斜向钢筋,主筋宜按偶数配置。

6.2 井塔密闭构造

6.2.1 回风井井塔导向轮层以下宜封闭套架,导向轮层绳孔应密封。

6.2.2 导向轮层下层套架设防爆门时,防爆门不应正对设备及有人员区域。防爆门面积应由工艺专业确定。

6.2.3 井塔底层应设密闭间,密闭门应满足提升容器及大件安装要求。

7 地基与基础

7.1 一般规定

7.1.1 井塔的地基基础设计等级应为甲级。建于完整、稳定岩体上的地基基础设计等级可为丙级。

7.1.2 基础可采用独立柱基、条形基础、桩基础、箱形基础、筏形基础、岩石锚杆基础及井颈基础。

7.1.3 井塔基础边距井壁外侧的距离不应小于200mm。

7.1.4 地基基础设计可不进行断绳、防坠制动荷载效应的验算。

7.1.5 地基变形允许值应符合表7.1.5的规定。

表7.1.5 地基变形允许值

变形特征		地基土类别	
		中、低压缩性土	高压缩性土
井塔的整体倾斜	$H_g \leqslant 40$	0.003	
	$40 < H_g \leqslant 60$	0.0025	
	$60 < H_g$	0.002	
井塔基础的平均沉降量(mm)		200	

注:1 H_g 为室外地面至井塔屋面的高度;

2 倾斜指基础倾斜方向两点的沉降差与其距离的比值。

7.1.6 井筒采用冻结凿井法施工时,井塔基础施工前应补充地基冻结后的岩土勘察报告。

7.1.7 井塔沉降观测点不应少于4个,且宜设在井塔室外地坪以上1m处。

7.2 天然地基基础

7.2.1 基础埋置深度宜符合下列要求:

1　天然地基或复合地基，不宜小于井塔高度的1/15；

2　建于基岩上的岩石锚杆基础满足抗滑移稳定性要求时，基础埋深可不受本条第1款限制。

7.2.2　基础平面形心宜与上部结构竖向永久荷载重心重合。非抗震设计时，基础底面不应出现零应力区；抗震设计时，抗震作用下基础底面不宜出现零应力区。

7.2.3　独立柱基宜沿两个主轴方向设置基础拉梁。

7.2.4　条形基础宜采用柱下交叉条形基础。

7.2.5　筏形基础宜采用梁板式筏形基础，对靠近井筒边的基础梁板应采取加强措施。

7.2.6　当有地下管道穿过箱形基础墙体时，应预留管道洞孔，洞孔高度应计入预估矿山开采使场地产生沉降引起的基础与井筒间的沉降差，且洞顶与管道顶间的净空高度不宜小于300mm。

7.2.7　箱形基础设计时，应对基础洞孔边的墙体、顶板、底板采取加强措施。

7.3　桩　基　础

7.3.1　基础埋置深度可取井塔高度的1/18，桩长可不计算在内。

7.3.2　桩基可采用钢筋混凝土预制桩、灌注桩或钢桩。桩基承台可采用柱下单独承台、双向交叉梁、筏形承台。

7.3.3　兼作凿井用井塔，当井筒采用冻结凿井法施工时，桩基础设计应计入冻胀和融沉的影响，并应在桩基础的承台下设100mm～200mm厚防冻胀处理层。

7.4　井 颈 基 础

7.4.1　井颈基础混凝土强度等级不宜低于C30，且不应低于与井壁相接处的井壁混凝土强度等级。

7.4.2　倒锥壳基础与井塔宜采用三维有限元空间分析模型整体计算。

7.4.3 倒方台、倒圆台、倒锥壳基础与井颈局部宜采用三维有限元空间分析模型计算。

7.4.4 倒锥壳基础壳壁厚度应按计算确定，且不宜小于井壁厚度。锥壳竖向和水平分布筋的配筋率不应小于0.4%，其钢筋间距不应大于200mm，钢筋直径不应小于16mm，钢筋的锚固长度不应小于50d，分布筋之间的拉筋间距不应大于400mm 。环向及竖向钢筋接头宜采用焊接或机械连接，接头应相互错开。

7.4.5 井颈基础不宜开洞，井颈基础及井塔平面中心线宜与井筒中心线重合。

7.4.6 井颈基础以下1.5倍井筒直径范围内，井壁水平钢筋直径不宜小于16mm，间距不宜大于150mm；井壁内外竖向和水平分布钢筋间应设置拉筋，拉筋间距不宜大于600mm，直径不宜小于8mm，宜为梅花形布置。

8 抗震设计

8.1 一般规定

8.1.1 井塔高度不宜超过表8.1.1的规定。

表8.1.1 井塔高度(m)

结构类型＼抗震设防烈度		6度	7度	8度	9度
钢筋混凝土井塔	框架	60	50	40	—
	筒体	不限	100	80	60
钢井塔	框架	不限	100	80	50
	框架-支撑	不限	不限	100	80

注:1 井塔高度指室外地面到主要屋面板板顶的高度,不包括局部突出屋顶部分;

2 乙类和丙类井塔最大高度可按本地区抗震设防烈度确定。

8.1.2 井塔高宽比不宜超过表8.1.2的规定。

表8.1.2 井塔高宽比

结构类型＼抗震设防烈度		6度、7度	8度	9度
钢筋混凝土井塔	框架	4	3	—
	筒体	5	4	3
钢井塔		6.5	6	5.5

注:1 井塔高度指室外地面到主要屋面板板顶的高度,不包括局部突出屋顶部分;

2 乙类和丙类井塔最大高度可按本地区抗震设防烈度确定。

8.1.3 井塔结构布置应符合下列要求:

1 钢筋混凝土框架或钢框架应双向布置抗侧力结构,柱在底层不宜中断;

2 钢筋混凝土筒体结构的壁板应双向布置;每侧壁板上、下宜连续;壁板底层有大洞口时,洞口两侧应有一定宽度的壁板延伸至基础;

3 提升机大厅层采用悬挑结构抗震设防烈度 6 度～8 度时,悬挑长度不宜超过 4m,并宜对称布置;抗震设防烈度 9 度时,不宜采用悬挑结构;

4 钢框架-支撑体系的支撑可采用中心支撑,支撑应双向对称布置,竖向宜连续布置。

8.1.4 钢筋混凝土井塔的抗震等级应按表 8.1.4 确定。

表 8.1.4 钢筋混凝土井塔的抗震等级

结构类型 \ 抗震设防烈度		6 度		7 度		8 度		9 度
框架结构	高度(m)	≤30	>30	≤30	>30	≤30	>30	—
	框架	四	三	三	二	二	一	一
筒体	高度(m)	≤60	>60	≤60	>60	≤60	>60	≤60
	框架	四	三	三	二	二	一	一
	壁板	三		二		一		一

8.1.5 钢井塔抗震等级应按表 8.1.5 确定。

表 8.1.5 钢井塔的抗震等级

高度(m)	抗震设防烈度			
	6 度	7 度	8 度	9 度
≤60m		四	三	二
>60m	四	三	二	一

8.1.6 井塔与贴建的建(构)筑物之间应设防震缝,防震缝最小宽度应按表 8.1.6 确定,且钢筋混凝土井塔不应小于 100mm,钢井塔不应小于 150mm。

表 8.1.6　井塔防震缝最小宽度

结构类型	抗震设防烈度			
	6 度	7 度	8 度	9 度
钢筋混凝土井塔	$h/250$	$h/200$	$h/175$	$h/125$
钢井塔	$h/150$	$h/140$	$h/120$	$h/100$

注：h 为贴建建(构)筑物高度。

8.2　计 算 要 点

8.2.1　井塔应进行多遇地震作用下的内力和变形分析，可假定结构与构件处于弹性工作状态，内力和变形分析可采用线性静力方法或线性动力方法。

8.2.2　符合下列条件之一时，井塔可不进行抗震验算，但应采取相应抗震措施：

1　抗震设防烈度为 7 度时，Ⅰ、Ⅱ类场地且塔高不大于 50m 的钢筋混凝土筒体井塔；

2　抗震设防烈度为 7 度时Ⅰ、Ⅱ类场地的钢井塔。

8.2.3　钢筋混凝土井塔的阻尼比可采用 0.05；钢井塔在多遇地震作用下阻尼比可采用 0.03。在罕遇地震下的弹塑性分析，阻尼比可取 0.04。

8.2.4　井塔应按两个主轴方向分别进行水平地震计算；抗震设防烈度为 9 度时，井塔应计算竖向地震作用。水平地震作用计算时，宜采用振型分解反应谱法，计算模型应符合下列要求：

1　钢筋混凝土筒体井塔可选择空间杆-薄壁杆系、空间杆-墙板元及其他组合有限元等计算模型；

2　框架结构及钢框架-支撑结构井塔应采用空间杆系模型。

8.2.5　抗震设防烈度为 9 度时，井塔应进行弹塑性变形验算。

8.2.6　抗震设防烈度为 7 度，Ⅲ、Ⅳ类场地和抗震设防烈度为 8 度时，井塔宜进行弹塑性变形验算。

8.2.7　钢结构井塔水平地震作用下的重力附加弯矩大于初始弯

矩的10%时，应计入重力二阶效应的影响。

8.2.8 地震作用计算时，井塔的重力荷载代表值应符合下列要求：

1 结构、放置在楼层上的设备、固定在井塔上的套架及刚性罐道等，应采用自重标准值的100%；

2 楼面可变荷载组合值系数按实际情况计算时，应取1.0；按等效均布荷载计算时，应取0.5；

3 屋面雪荷载组合值系数应取0.5；

4 矿仓贮料荷载的组合值系数应取满仓贮料时的0.8。

8.2.9 钢筋混凝土筒体结构井塔在水平地震作用下，提升机大厅以下任一层框架柱承受的总地震剪力，不应小于井塔底层总地震剪力的10%和与按筒体、框架计算的框架部分最大层剪力的1.5倍二者的较小值。该层各柱的剪力上、下两端弯矩以及与该层柱相连的框架梁两端弯矩和剪力，均应按同比例做相应调整。

8.2.10 钢框架-支撑结构井塔在水平地震作用下，提升机大厅以下任一层框架柱承受的总地震剪力，不应小于井塔底层总地震剪力的25%和与框架部分计算最大层剪力的1.8倍二者的较小值。该层各柱的剪力上、下两端弯矩，以及与该层柱相连的框架梁两端弯矩和剪力，均应按同比例做相应调整。

8.2.11 采用井颈基础的井塔，抗震计算时宜计入井塔、井筒和土的相互作用。不按相互作用进行抗震计算且为Ⅲ类场地时，应将计算的水平地震作用标准值乘以1.4的增大系数。

8.3 抗震构造措施

8.3.1 钢筋混凝土结构筒体井塔壁板设计，应符合下列要求：

1 壁板应采用双层配筋，壁板竖向和横向钢筋的配筋率均不应小于0.25%；

2 壁板竖向钢筋直径不宜小于12mm，间距不应大于250mm；横向钢筋直径不宜小于8mm，间距不应大于250mm。竖向和横向钢筋直径不宜大于壁板厚度的1/10;横向钢筋宜配置于竖向钢筋的外侧;双层钢筋之间的拉筋间距不宜大于500mm,直径不应小于6mm;

3 壁板开有边长小于800mm的小洞口且在结构整体计算中不考虑其影响时,洞口每侧加强钢筋面积不应小于被洞口切断的钢筋面积的1/2且不应小于2ϕ14,钢筋锚固长度不应小于L_{ae},且不应小于600mm;

4 壁板洞口高或宽大于800mm时,洞口两侧应设置边缘构件,洞口上下侧宜设连梁;

5 壁板洞口宽度大于4m或大于该壁板宽度的1/3时,洞口两侧应设置加强肋,加强肋应贯通全层;洞口上部应设置连梁;洞口不在井塔底部时,洞口下部也应设置连梁。加强肋应按框架柱的要求配置纵向钢筋和箍筋,钢筋面积除应满足计算要求外,尚应满足抗震结构边缘构件的配筋要求。加强肋中纵向钢筋上、下端应锚入楼层梁板或基础中,锚入长度不应小于L_{ae},且不应小于600mm;锚固范围内均应配置加密箍筋;

6 连梁应符合框架梁配置要求,其配筋应符合计算要求和构造要求,锚固长度不应小于L_{ae}且不应小于600mm;连梁两侧应配置直径不小于10mm、间距不大于200mm的腰筋,壁板的横向钢筋宜作为连梁的腰筋在连梁范围内配置;连梁纵向钢筋在锚固范围内应按加密区要求配置箍筋。

8.3.2 楼面主梁不应支承在壁板的连梁上。

8.3.3 壁板在楼盖处应设置暗梁,暗梁宽度可与墙厚度相同,高度不宜小于墙厚度的2倍及400mm的较大值。井塔底层扶壁柱和框架柱的加密区长度应取柱的全高。

8.3.4 钢井塔节点应选用焊接或高强度螺栓连接;对重要的连接与拼接,应选用栓焊混合连接。

8.3.5 钢井塔的刚接柱脚宜采用埋入式,也可采用外包式;抗震设防烈度为6度、7度且高度不超过50m时,也可采用外露式。

8.3.6 钢井塔主要构件的长细比不宜大于表8.3.6的规定。

表8.3.6 钢井塔主要构件的长细比

结构构件 \ 抗震设防烈度		6度	7度	8度	9度
柱	轴心受压柱	120	120	120	120
	偏心受压柱	120	80	60	60
支撑	按压杆设计	150	150	120	120
	按拉杆设计	200	200	150	150

注：表中数值适用于Q235钢，采用其他牌号钢材时，应乘以$\sqrt{235/f_y}$。

附录A 钢筋混凝土井塔第一自振周期经验公式

A.0.1 钢筋混凝土筒体井塔经验公式,可按下式计算:

$$T_1 = -0.056 + 0.046H/\sqrt{B_1} \quad (A.0.1)$$

式中:T_1 ——第一自振周期(s);

H ——从地面算起至檐口的井塔高度(m);

B_1 ——与计算地震力相平行方向的井塔外缘宽度(m)。

A.0.2 钢筋混凝土框架井塔经验公式,可按下式计算:

$$T_1 = -0.216 + 0.00256H^2/B_2 \quad (A.0.2)$$

式中:B_2 ——与计算地震力相平行方向的框架柱外缘宽度(m)。

本规范用词说明

1 为便于在执行本规范条文时区别对待，对要求严格程度不同的用词说明如下：

1)表示很严格，非这样做不可的：

正面词采用“必须”，反面词采用“严禁”；

2)表示严格，在正常情况下均应这样做的：

正面词采用“应”，反面词采用“不应”或“不得”；

3)表示允许稍有选择，在条件许可时首先应这样做的：

正面词采用“宜”，反面词采用“不宜”；

4)表示有选择，在一定条件下可以这样做的，采用“可”。

2 条文中指明应按其他有关标准执行的写法为：“应符合……的规定”或“应按……执行”。

中华人民共和国国家标准

矿山提升井塔设计规范

GB 51184 - 2016

条 文 说 明

制订说明

《矿山提升井塔设计规范》GB 51184—2016，经住房城乡建设部2016年8月18日以第1268号公告批准发布。

本规范编制过程中，编制组进行了认真深入的调查研究，总结了20世纪70年代以来我国井塔的设计、施工、运行经验，同时参考了国外同类规范的资料及国内相关行业的先进技术和资料，在广泛征求意见的基础上制定本规范。

为便于各单位及相关人员在使用本规范时能正确理解和执行条文规定，编制组按章、节、条顺序编制了规范的条文说明，对条文规定的目的、依据以及执行中需注意的有关事项进行了说明，还着重对强制性条文的强制性理由作了解释。但是，条文说明不具备与正文同等的法律效力，仅供使用者作为理解和把握标准规定的参考。

目　　次

1 总　　则

1.0.1 编制本规范的目的。20世纪70年代改革开放以来，特别是21世纪这十几年，我国矿山建设飞速发展。井塔作为矿山生产的主要提升构筑物，在整个矿山建设中占有重要的位置。特别是在东北寒冷地区，具有抗寒、抗风沙等作用，有着井架不可替代的功能。早在20世纪70年代就开始了井塔规范的编制工作，最终只出版了作为文件附件的《煤矿多绳提升井塔土建设计暂行统一技术条件》。近五十年来，井塔设计一直无法可依，无章可循。根据住房城乡建设部《关于印发〈2005年工程建设标准规范制订、修订计划(第二批)〉的通知》(建标函〔2005〕124号)的要求，《矿山提升井塔设计规范》编制组成立。住房城乡建设部关于印发《2013年工程建设标准规范制订、修订计划的通知》(建标〔2013〕6号)再次把规范编制列入计划，需要编制符合我国实际国情，安全适用、技术先进、经济合理、确保质量的井塔设计规范，以改变目前我国井塔设计的不规范状况。

1.0.2 本条规定了规范的适用范围，即新建、改建、扩建的矿山立井钢筋混凝土结构井塔、钢结构井塔。过去一些小型矿井为了节约造价，采用砌体结构，因其抗震性能差，现在已很少采用，故本规范未列入。随着国民经济的快速发展，钢筋混凝土结构井塔得到了广泛应用，钢结构井塔也越来越受重视。

1.0.3 井塔是为矿井生产服务的，其设计使用年限必须满足矿井设计服务年限的要求。矿井设计服务年限按现行国家标准分为40年、50年、60年、70年。对于设计服务年限低于50年的矿井，新建井塔的设计使用年限应按50年设计。当矿井设计服务年限超过50年时，新建井塔的设计使用年限若仍按50年设计则不能满足要求，若取100年设计，则过于严格，造成浪费。应从荷载取值、耐久性、构造措施、使用维护等方面满足实际服务年限的需要。改建、扩建矿井井塔加固改造后的设计使用年限应与改建、扩建后矿井的剩余服务年限相适应。

1.0.4 井塔为提升系统的重要构筑物，如发生破坏直接影响井下工人的生命安全；同时井下若发生事故，这些系统又是维系井下安全和抗灾抢险的必要条件，故安全等级应为一级。本条为强制性条文，必须严格执行。

1.0.5 根据现行国家标准《建筑工程抗震设防分类标准》GB 50223，提升系统的主、副井井塔抗震设防类别应为重点设防类，矸石井井塔的抗震设防类别可为标准设防类。

1.0.6 煤矿井塔的火灾危险性类别应为丙类。冶金矿山井塔可根据井塔提升物料种类及其数量等因素确定其火灾危险性类别。

1.0.7 现阶段井塔的施工大多数采用滑模、大模板等，根据施工工艺的不同，对井塔的设计会提出不同的要求。生产单位的安装也会提出所需要的各项指标。设计应与施工、生产工艺相互配合。

1.0.8 本规范属专业性规范，编制力求简明、实用，对于通用性的部分可按国家现行有关标准的规定执行。

3 布置与选型

3.1 平 面 布 置

3.1.1 井塔主体平面多数为矩形，圆形、正多边形较少，具体采用哪种形式应根据生产使用要求、设备布置、结构选型、技术经济等因素综合确定。矩形平面对生产使用、设备布置、提高建筑面积利用率均是有利的，一般情况下宜优先采用。

3.1.2 提升机大厅层的平面尺寸一般要比主体井塔其他各层的平面尺寸大，尤其是在同层布置多台提升机时。当井塔主体高度不太高，且提升机大厅面积与主体塔身面积相差不多时，为使塔身滑模施工能一次到顶，宜将井塔平面设计成上下一样的形状。但当井塔主体高度较高，且提升机大厅面积比主体塔身面积大很多时，宜将提升机大厅设计成带悬挑的结构形式。大厅层平面尺寸的大小根据生产使用、设备布置及安装、检修要求确定。

3.1.3 导向轮层平面布置应根据设备的安装、运行、检修等的要求确定，通常设于提升机大厅的下一层，由工艺专业确定。对井塔平面不起控制作用。

3.1.4 底层平面应根据提升容器的种类、尺寸和更换、存储方式，井口设备的布置、人行入口位置，上下罐笼的人流路线，受料仓位置，矿物运输出口位置，信号室位置等要求综合考虑。一般井塔平面及尺寸主要根据井塔顶层提升机大厅层及底层确定。

3.1.5 本条采用了现行国家标准《煤炭工业矿井设计规范》GB 50215及《煤矿矿井建筑结构设计规范》GB 50592 的条款，但与现行国家标准《建筑设计防火规范》GB 50016 的规定“高层厂房应设封闭楼梯间”不符。随着矿井自动化水平的提高，井塔内工作人数一再减少，经多年的使用实践和多方征求意见，认为作为构筑物的井塔设不封闭的疏散楼梯间即可，并可用宽度不小于800mm，坡度不大于60°的金属工作梯兼作疏散楼梯。如条件许可，井塔较高、平面尺寸较大时，也可考虑设封闭楼梯间。

3.1.6 井塔内的电梯需要单独设电梯间，电梯间可以布置在塔内，也可以紧贴外墙布置在塔外。为降低提升机房高度，电梯间的位置应布置在提升机大厅层吊车不需要超越的部位，电梯间出口应避开设备安装、检修位置。

3.1.7 为了井塔内设备的安装、检修、更换，设备的上下运行必须通过吊装孔，吊装孔的位置应避开地面出车和人员经常出入通道的位置。

1 当在塔内布置吊装孔且不会使塔身平面尺寸有较大增加时，宜将吊装孔布置在塔内，吊装孔不宜设于井塔角部及紧靠井塔外壁。这种方式布置可直接利用提升机大厅层吊车吊装设备，使用比较方便，目前常用此种布置方式。

2 当在塔内布置吊装孔使塔身平面尺寸有较大增加时，可考虑将提升机大厅层设计成悬挑结构，将吊装孔布置在悬挑部分；这种吊装方式不利于冬季保温，非寒冷地区可以考虑，寒冷地区不宜选择。

3 为了减少井塔建筑体积，节约造价，也可考虑在井塔侧壁上设吊装孔。这种吊装孔布置方式设备吊装不太方便，安全条件差，且不利于冬季保温。目前此种布置方式使用较少。

3.2 竖向布置

3.2.1、3.2.2 确定井塔建筑高度主要是摩擦轮中心高度，由工艺专业确定。其次是提升机大厅的高度，提升机大厅的高度由大厅层设备及其起吊高度确定，应由工艺专业确定。在满足工艺要求的前提下，应尽量降低井塔高度。其中的吊车顶面与屋面构件最低点的净空取400mm，是根据现行国家标准《起重设备安装工程施工及验收规范》GB 50278的要求确定的。

3.2.3 导向轮层层高由设备、装置安装、检修和更换所需空间确定。

3.2.4 井塔底层的高度应根据安装和更换提升容器及运输最大件设备、材料所需要的高度确定，一般底层高度较大。为降低底层高度，提高塔体承重结构的稳定性，宜考虑采取将提升容器平卧进入井口，随后逐步斜立起吊的方法安装和更换提升容器。大型提升容器不宜存放在底层。

3.2.5 其他无特殊要求的中间各楼层高度，可根据设备安装、检修、灌道支撑系统要求，楼梯及外立面窗布置等因素综合确定，同时考虑塔身壁板稳定要求，结构竖向刚度均匀变化要求，各楼层层高宜相近，一般在6m～15m之间。

3.3 建筑构造

3.3.1 井塔底层大门洞一般因安装设备要求，开得都比较大。根据井塔用途及所在区域，设计可根据实际情况需要分段设置活动门，既便于设备进出，又可以防寒、防风沙。

3.3.2 因井塔大厅层层高较大，窗户一般多层设置，高窗人工不宜开启，故宜设置开窗设施。大厅层正对操控室不应设置窗户，以免产生面对操控人员的眩光。

3.3.5 井塔内卫生间一般设在提升机大厅层，以便操控人员使用，当大厅层平面受限时，也可放在大厅层的下一层。有条件时还可在底层控制室附近另设卫生间。为便于清洁卫生，井塔内应设置污水池，主要设于底层及顶层。

3.3.8 按现行国家标准《建筑物防雷设计规范》GB 50057的规定，井塔应设防雷装置。

3.3.9 按现行行业标准《民用建筑电气设计规范》JGJ 16的规定，在机场跑道中心点规定区域内的井塔应装设航空障碍标志灯。矿井井塔高度一般都在30m以上，且在整个矿井是最高构筑物，对不在机场跑道中心点规定区域内的井塔，一般高度45m以上宜装设航空障碍标志灯。

3.4 结 构 选 型

3.4.1 井塔塔身是重要的承重结构，影响其结构型式的因素较多，平面布置、竖向布置、工艺设备布置、矿井通风方式、气候、地震烈度、地基条件、服务年限等，其结构选型应根据具体条件综合比较后确定。目前国内广泛应用的是钢筋混凝土结构井塔，主要有框架、筒体结构体系(包括箱型、箱框型)。钢结构井塔较少使用，但也越来越受重视，主要有框架、框架-支撑结构体系。其余的为砖或混凝土砌块结构，因其抗震性能差已很少使用，故不推荐。井塔采用框架结构的优点是:空间大，材料用量少，造价低，设备布置灵活，设备安装和后期改造方便;缺点是:井塔刚度较小，结构延性较差，抗震性能差，在设备干扰力作用下，振动较大，滑模施工相对较困难。钢筋混凝土筒体结构型式井塔，是较常用的结构型式，其承载能力及侧向刚度均较大，结构安全度较高，耐久性好，后期维护费用低，滑模施工方便;其缺点是结构重量大，不利于基础设计，混凝土用量大，施工周期较长，综合费用较高。一般井塔平面尺寸较小时采用箱型。当井塔平面尺寸较大时，箱框型结构就是最佳选择结构型式，此种结构型式将箱型及框架两种结构型式糅合在一起，优、缺点互补，也是目前最常用的结构型式。

3.5 套架与防撞梁布置

3.5.1 提升容器在提升过程中由于意外受到某种阻碍(包括灌道、灌道梁或井壁等的不正常突出结构)，或由于操作失误和电控失灵引起全速过卷，容器突然被卡住，而提升机仍继续向上提升容器，导致一侧提升钢丝绳全部被拉断，这时就产生了偶然荷载，就应该在提升容器或平衡锤过卷高度限值以上的位置设置防止提升容器或平衡锤过卷的防撞梁。防撞梁底应设防撞木，防撞木的材料可为木材及其他材料。

3.5.2 整体式套架一般是独立的钢结构支架，当为罐笼提升或混合提升时都直接支撑于井颈上，而仅在水平方向与井塔相联系，竖向应考虑不均匀沉降的影响，做成活动连接。当为箕斗提升时，套架也可支撑于井颈上或吊挂在井塔的某一层楼盖结构上，同样另一端的连接也应做成竖向活动连接。整体式套架耗钢量较大，但有利于安装和井塔倾斜时的调整，目前广泛使用。分段式套架是利用塔身楼盖梁作支点并兼作套架横梁，套架立柱及斜撑分段设置大多数采用钢结构。此种型式套架结构简单，节约钢材，但施工麻烦，井塔倾斜时调整较复杂。

3.6 兼作凿井用井塔

3.6.1～3.6.3 一般井塔施工均在井筒施工结束后，近年来，随着矿山建设速度的加快，往往利用井塔来设凿井平台。这种形式既加快了建矿速度，又减少了凿井时的临时构筑物，既绿色又环保，社会经济效益显著。

3.6.4 对于建于深厚软弱表土层上的井塔，井筒采用冻结法施工时，因土层冻胀量较大，不宜采用兼作凿井用井塔。

4 结构荷载

4.1 荷载分类

4.1.1 固定设备的自重认定为永久荷载，是参照现行国家标准《煤矿矿井建筑结构设计规范》GB 50592 的规定。地基变形认定为永久荷载，是参照现行国家标准《工程结构可靠度设计统一标准》GB 50153 的规定。

4.1.3 井塔内可计入永久荷载的设备主要有摩擦轮、减速器、电动机、导向轮、起重设备、卸载装置、防坠器、电器设备等，其自重应由工艺专业确定。

4.1.5 井塔一般是矿井场地的制高点，可以俯瞰整个工业广场，屋面活荷载要考虑参观人员上屋面俯瞰工业广场。

4.1.6 计算工作荷载时，罐笼在提升和下降时有同时满载的可能，而箕斗一般是一个满载，一个是空载。钢绳最大静张力为提升容器自重、载重及提升钢绳首、尾绳以及装置自重等总重；钢绳最小静张力为提升容器自重、提升钢绳首、尾绳以及装置自重等总重。断绳荷载标准值应按下列规定确定：摩擦轮一侧为所有钢绳的断绳荷载，另一侧为所有钢绳的 0.33 倍断绳荷载。参照英国《矿山井架和井塔设计指南》，在上升钢绳这一端作用着钢绳的断绳荷载，同时在下降钢绳的另一端作用着 0.33 倍的断绳荷载。

4.2 荷载组合

4.2.4 事故荷载效应组合可仅用于提升机大厅层及下一层的构件计算。

5 结构计算

5.1 静力计算

5.1.4 摩擦轮、减速器和电动机支撑梁变形应满足工艺要求。

5.1.5 兼作凿井工作的井塔，可采取临时加固措施满足凿井工作阶段的承载能力极限状态及正常使用极限状态要求。

5.2 动力计算

5.2.1 很多工程的计算表明，多层工业厂房钢筋混凝土结构的水平自振频率的基频多在0.6Hz～3Hz之间，而主要受力梁的竖向振动频率却多在7Hz～80Hz之间；钢结构的水平振动基频多在0.5Hz～2Hz之间，主要受力钢梁的竖向振动基频多在2.5Hz～25Hz之间。从上述结构基频范围来看，钢筋混凝土结构楼层上安装有低转速动力机器时，其水平振动有可能发生共振现象；楼层上安装高转速动力机器时，则楼层的横梁在竖向有可能发生共振现象。也就是说，钢筋混凝土结构楼层上安装低转速动力机器时，要注意计算结构的水平振动；楼层上安装有高转速动力机器时，要着重计算横梁的竖向振动。而钢结构安装有低转速的动力机器时，既要计算钢结构的水平振动，又要计算梁的竖向振动。

井塔的提升速度一般为6m/s～11m/s，设备的振动频率为0.8Hz～1.5Hz；从已实测的井塔基本自振频率为1.0Hz～3.56Hz，因此两者容易发生共振；分析井塔水平振动一般仅考虑提升机动扰力的作用。井塔结构动力计算应按下列顺序进行：①计算设备的动力荷载；②计算结构的自振频率并确定结构的振型；③计算结构的振动速度和位移；④确定结构内力的幅值，并进行构件承载力计算。

与提升机主轴垂直的井塔方向的第一自振周期（ T_1 ）满足公式(1)或(2)要求时，井塔可不进行水平振动计算。

$$T_1 < \frac{T_0}{1.1} \tag{1}$$

$$T_1 > \frac{T_0}{0.9} \tag{2}$$

$$T_0 = \frac{60}{n} \tag{3}$$

式中：T_0 ——提升机转动周期(s)；

n ——提升机的转速(r/min)。

5.2.2 提升机、减速器及电动机微振计算可参考现行国家标准《多层厂房楼盖抗微振设计规范》GB 50190 的规定。

5.2.3 旋转运动设备在运动过程中产生的动扰力 P（图 1)，当无实际资料时，可按下列公式计算：

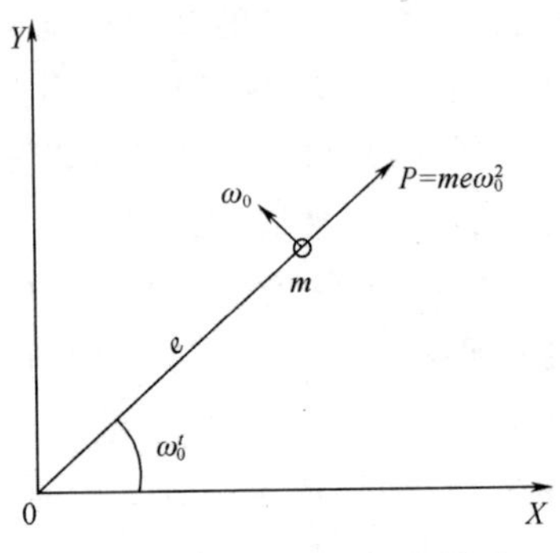

图 1 旋转运动设备的干扰力

$$P = me\omega_0^2 \tag{4}$$

$$\omega_0 = 0.105n \tag{5}$$

式中：P ——机器的动扰力；

m ——旋转部分质量(kg)；

e ——质量对旋转中心线的偏心距(m)，由工艺提供；

ω_0 ——转动圆频率(rad/s)。

机器匀速旋转时,P 是大小不变,方向时刻变化,但总是通过旋转中心的作用力。假定 $t=0$ 时,P 沿 X 轴方向。t 时刻 P 在 X、Y 方向的分力为:

$$P_x = me\omega_0^2\cos(\omega_0 t) \quad (6)$$

$$P_y = me\omega_0^2\sin(\omega_0 t) \quad (7)$$

式中:P_x ——引起塔身的水平振动;

P_y ——引起楼盖的垂直振动。

6 构　　造

6.1 一 般 构 造

6.1.2 壁板厚度应同时符合现行行业标准《高层建筑混凝土结构技术规程》JGJ 3—2010 附录 D 的墙体稳定验算要求。

6.1.3 壁板角部加腋水平钢筋的直径、间距同剪力墙水平钢筋（图 2）。竖向附加钢筋不少于 2ϕ12。

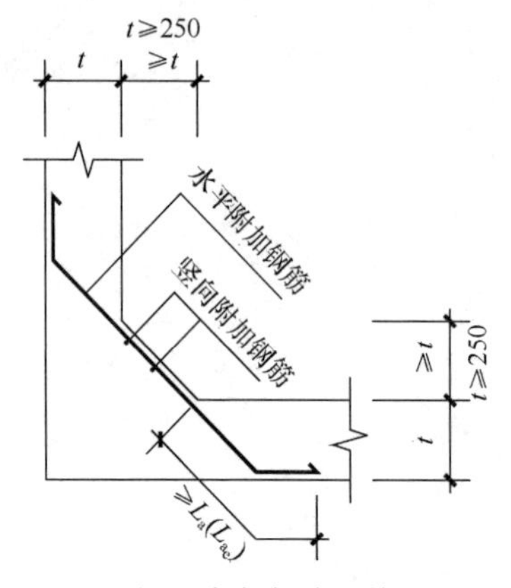

图 2　角部加腋配筋

6.1.6 钢筋混凝土井塔屋面承重结构为轻钢结构时，设置组合楼板和非组合楼板，增强井塔的整体性，提高井塔的抗震性能。

6.2 井塔密闭构造

6.2.1 当矿井通风要求井口建筑密闭时，往往将井塔内的套架加以密闭。这就有两种方式，一是把井塔内的套架设计成钢筋混凝土内箱结构，内外箱形成筒体结构，这样壁板既承重又围护，同时还起密闭作用。二是用钢板或轻型预制构件将套架封闭起来。

7 地基与基础

7.1 一 般 规 定

7.1.1 井塔是煤矿提升系统中的重要构筑物，矿井的咽喉。如井塔地基基础发生问题，轻则影响煤矿的安全生产，重则危及井下工人的生命安全。井塔地基基础位于井口附近，地基基础极易受凿井和凿井前的冻结影响。根据井塔的重要性和对地基变形的特殊要求等复杂因素，本规范把建于非坚硬岩石地基上的井塔地基基础设计等级确定为甲级。

7.1.2 井塔的基础选型应根据地震设防烈度、场地地质条件、井塔的结构形式、荷载大小和施工条件等因素，通过方案综合比较后，选择安全可靠、经济合理、施工方便的基础类型。井颈基础系指倒方台、倒圆台或倒锥壳体基础形式。

7.1.4 提升机断绳、套架防坠制动荷载是由事故引起的瞬间偶然荷载，仅对局部楼层构件有较大破坏力，对地基基础影响很小，地基基础可以不考虑断绳、防坠制动偶然荷载的作用。

7.1.5 井塔的地基变形要求比一般高层建筑严，是依据提升工艺垂直度要求和以往的设计经验确定的。

7.1.6 人工冻结凿井法影响井塔地基基础的主要因素是人工冻结对地基土产生的冻胀和融沉，而产生地基土冻胀和融沉的重要因素与场地土的含水率和土的类别有关。我国幅员辽阔，南北气候差异很大，降雨量分布也很不均匀。北方寒冷干旱，年蒸发量大于降雨量。中部及南方气候湿润多雨，地下水丰富。20 世纪 70 年代～80 年代全国各地矿井在冻融土上成功的建成上百座井塔。众多的工程设计人员通过在冻融土地基上建设井塔的实践，并对冻融土的特性进行了深入研究得知，人工冻融土在地下 20m 以上解冻后，冻融土的物理力学指标比原状土有所降低，承载力降低约 20%～30%，20m 以下冻融土的物理力学指标基本无变化。也就是说人工冻结对土的物理力学性能的影响基本是随着土的深度增加而减少，人工冻结对土壤的物理特性影响是有局限性的。

7.2 天然地基基础

7.2.1 一般建于天然地基上的各种基础相对比较经济。当采用天然地基不能满足承载力和沉降要求时，可采用复合地基。目前国内在煤矿各类建筑中采用复合地基已经有比较成熟的经验，可根据需要把地基承载力特征值提高到 300kPa～550kPa。

7.2.2 井塔的受力比较特殊，主要的工作动荷载作用在顶层，若井塔基础长期处于偏心荷载作用下易产生不均匀沉降。

7.2.5 筏形基础在 20 世纪 70 年代～80 年代国内有少数井塔基础采用过。随着结构计算机程序的发展应用，井塔结构的布置发生很大变化，箱框结构的井塔内框架柱由原落地式布置现都改为在二层设转换层过渡，平面尺寸较小的井塔，楼面为双向井字梁布置，不设内框架柱。由于井塔结构布置的优化，为井塔底层创造了开阔的空间，给设备工艺专业提供了极大的方便，也使井塔基础受力明确、设计简单。作为曾经采用过的一种井塔基础形式，筏形基础在井塔基础设计中现已很少采用。

7.2.7 说明原因同本规范第 7.2.5 条，箱形基础在井塔基础设计中现已很少采用。

7.3 桩 基 础

7.3.2 由于桩的类型较多，不同地域的工程地质及水文条件存在差异，设计应因地制宜，对桩的选型、成桩工艺、承载力取值应结合当地的成熟经验进行。当工程所在地有地区性地基设计规范时，可依据该地区规范进行桩基设计。

7.4 井 颈 基 础

7.4.4 钢筋的连接要求，根据现行国家标准《混凝土结构设计规范》GB 50010的有关规定执行。

7.4.6 井塔通过井颈式基础固结于井壁上，井颈式基础设计要密切与矿建专业配合，要求井壁上端壁厚和配筋符合井颈式基础设计要求。

8 抗 震 设 计

8.1 一 般 规 定

8.1.1 限制不同结构类型井塔高度及高宽比是从安全、经济等方面考虑的。本条规定的限值是综合考虑了国家现行标准《建筑抗震设计规范》GB 50011、《高层建筑混凝土结构技术规程》JGJ 3、《高层民用建筑钢结构技术规程》JGJ 99 等的相关规定，同时结合井塔的特点确定的。

8.1.2 限制井塔的高宽比主要是保证井塔的倾覆稳定。本条的限值是综合考虑了相关标准的规定，又结合了井塔的特点而确定的。如果通过抗倾覆计算可以保证井塔的倾覆稳定性，也可突破本条规定的限值。

8.1.4、8.1.5 井塔的抗震等级是重要的设计参数。抗震等级的划分体现了对不同抗震设防类别、不同结构类型、不同烈度、同一烈度但不同高度井塔结构延性要求的不同。井塔设计应根据抗震等级采取相应的抗震措施。井塔属乙类构筑物，应按调整后的设防烈度确定抗震等级。这两条为强制性条文，必须严格执行。

8.1.6 井塔与贴建的井口房(井棚)之间防震缝的宽度，主要参考了现行国家标准《建筑抗震设计规范》GB 50011 的有关条文。

8.2 计 算 要 点

8.2.1 井塔楼面属于大开洞楼板，开洞不规则且不连续；楼板面内刚度有较大削弱，计算时应考虑楼板面内变形的影响。考虑楼板的实际刚度可以采用将楼板等效为剪弯水平梁的简化方法，也可采用有限单元法进行计算。

8.2.2 建于抗震设防烈度 7 度Ⅰ、Ⅱ类场地上的钢筋混凝土筒体井塔，当塔高不大于50m时，根据设计经验，在满足正常风荷载作用要求后，一般都能满足抗震强度设计要求，故可不进行抗震验算。

钢井塔抗震性能较好，抗震设防烈度7度Ⅰ、Ⅱ类场地基本无震害，因此可不进行抗震验算。

8.2.4 在大多数条件下，钢筋混凝土筒体井塔可采用空间杆-薄壁杆系或空间杆-墙板元计算模型；框架井塔及钢框架-支撑型井塔主要受力构件是梁、柱和支撑，所以应采用空间杆系模型。

8.2.8 按现行国家标准《建筑结构可靠度设计统一标准》GB 50068的原则规定，地震发生时永久荷载与其他重力荷载可能的遇合结果总称为"抗震设计的重力荷载代表值"。井塔在计算地震作用时重力荷载代表值应取结构和构配件自重标准值和各直接作用于井塔上的可变荷载组合值之和。对于间接作用于井塔上的提升容器及物料、拉紧重锤及有关钢丝绳的荷载可不计入。本条为强制性条文，必须严格执行。

8.2.9 钢筋混凝土筒体结构在水平地震作用下，剪力主要由筒壁承担。框架柱计算出的剪力一般都较小，为保证作为第二道防线的框架具有一定的抗侧力能力，需要对框架承担的剪力予以适当的调整。

8.2.10 钢框架-支撑结构井塔在水平地震作用下，地震剪力主要由支撑承担。计算出的无支撑框架柱承受的剪力一般较小，出于与本规范第8.2.9条同样的理由，需要对框架承担的剪力予以适当的调整。调整幅度参考现行国家标准《建筑抗震设计规范》GB 50011和现行行业标准《高层民用建筑钢结构技术规程》JGJ 99，并根据井塔的具体特点给出。如果梁与柱铰接连接时，梁端内力可不予调整。

8.2.11 天然地基基础的井塔在抗震计算时是将基础上表面取作下端嵌固点。当井塔采用井颈基础时，井塔与井筒形成一个整体，井筒的截面又比较小，软弱场地对井筒的嵌固作用较差，如果仍将基础上表面作为井塔的嵌固点显然是不合适的。所以本条规定抗震计算时宜考虑井塔、井筒及土的相互作用。考虑这种计算方法目前在设计中应用并不普遍，所以本条规定也允许仅对井塔进行抗震计算，但在Ⅳ类场地时应乘以增大系数1.4。

8.3 抗震构造措施

8.3.1 井塔壁板上开大洞口应在洞口两侧设加强肋，上部设连梁。加强肋应贯通全层，加强肋宜与井塔结构的扶壁柱相结合。

8.3.4 焊接连接的传力最充分，有足够的延性，但焊接连接存在较大的残余应力，对节点的受力不利；高强度螺栓连接施工比较方便，但构件的节点连接全部采用高强度螺栓会使连接尺寸过大，且材料消耗较多，因而造价较高；栓焊混合连接的应用比较普遍，一般受力比较大的翼缘部分采用焊接，腹板采用高强螺栓连接，可兼顾两者的优点。

附录A 钢筋混凝土井塔第一自振周期经验公式

A.0.1 实测钢筋混凝土筒体井塔第一自振周期 T_1 的范围为0.28s～0.72s。按经验公式计算周期与实测周期比较见表1。

表1 经验公式计算周期与实测周期比较表

井塔	计算采用值 H/B(m)	经验公式 (s)	实测自振周期 (s)
梅山主塔(筒体)	60.8/12	0.720	0.554
石嘴山主塔(筒体)	59/12(横向)	0.730	0.670
石嘴山主塔(筒体)	59/15(纵向)	0.640	0.587
鸡西滴道主塔(筒体)	44.3/12	0.530	0.538
凡口主塔(圆筒体)	55/11.4	0.690	0.640
梅山副塔(筒体)	29/9	0.387	0.345
梅山副塔(筒体)	29/12	0.328	0.307
石嘴山副塔(筒体)	39/13	0.440	0.417
石嘴山副塔(筒体)	39/14	0.422	0.400
凡口副塔(圆筒体)	21/9	0.265	0.280
鸡西滴道副塔(筒体)	33.3/10	0.428	0.390

S/N:155182·0025

9 155182 002500

统一书号：155182 · 0025

定　　价：14.00 元

UDC

中华人民共和国国家标准

P

GB 51184－2016

矿山提升井塔设计规范

Code for design of mine winding tower

2016－08－18 发布　　2017－04－01 实施

中华人民共和国住房和城乡建设部
中华人民共和国国家质量监督检验检疫总局　联合发布